La Voie et sa vertu

Lao-tzeu

La Voie et sa vertu

Tao-tê-king

Texte chinois présenté
et traduit par
François Houang
et Pierre Leyris

nouvelle édition remaniée

Éditions du Seuil

EN COUVERTURE

Lao-tzeu, aquarelle, Chine xviiie siècle.
BN, photo J.-L. Charmet.

ISBN 2-02-005067-6

© *Éditions du Seuil, 1979.*

Avant-propos
de la première édition
(1949)

A lire la plupart des versions françaises du *Tao-tê-king*, on ne se douterait guère que Lao-tzeu est un poète, que son bréviaire comporte une persuasion mélodique. Il est vrai qu'elle a perdu avec le temps une part de son efficace parce que les caractères sonnent aujourd'hui autrement qu'ils ne faisaient et pour une autre raison que voici. A l'origine, *le Livre de la Voie* fut gravé sur des bâtonnets de bambou, non pas à raison d'un poème par bâtonnet, mais le texte courant de l'un à l'autre. Le malheur voulut qu'ils fussent brouillés, et depuis lors personne ne se reconnaît avec certitude dans ces jonchets vénérables. Du fait que certains poèmes se trouvèrent coupés de leur suite naturelle, résultèrent des ruptures de rythme, des brisures de parallélisme, des dissociations de rimes, désordres souvent sans remède. Ajoutez à cela que des commentaires ont été interpolés, ainsi que des « mots vides », jouant le rôle de points finaux, qui faussèrent le mètre du discours.

D'où la présence de nombreux passages de rythme irrégulier qui donnèrent longtemps à penser qu'une grande part du *Tao-tê-king* était en prose. Mais cette part n'a cessé de se restreindre au cours du XIXᵉ siècle [1], et il apparaît nettement aujourd'hui que le *Tao-tê-king* est bien, dans son ensemble, un livre poétique. Assurément, il ne s'agit pas ici d'une poésie classique obéissant à des lois strictes comme sous les Tang : c'est un parler instinctif plus poétique que codifié, admettant même des instants prosaïques qui suspendent l'exercice du rythme, mais où l'affirmation se trouve

---

1. Surtout depuis les travaux de Tuan-Yu-Tzaï et de Kiang-Yu-Kao qui comparèrent avec fruit les systèmes de rimes du *Tao-tê-king* à ceux du *Che-king* (*Le livre des Odes*) et du *Chou-king* (*Le livre des Annales*), et depuis les analyses phonétiques de Bernard Kalgren (*The Poetical Parts of Lao-tzeu*, Göteborg, 1932).

généralement renforcée par un chant qui entraîne l'adhésion de l'âme. Car *le Livre de la Voie* nous est venu d'un âge d'or où la philosophie, la musique, la poésie et le langage de tous les jours n'étaient pas si différenciés qu'ils ne pussent concourir à une commune expression sur les lèvres d'un Sage.

Cela dit, est-il légitime de tenter en français une traduction poétique de Lao-tzeu? Certes non, si l'on attend du traducteur ce que l'on est peut-être en droit d'exiger de lui lorsqu'il fournit son effort sans sortir d'une famille linguistique; à savoir qu'il recrée, avec le contenu conceptuel, le rythme, les assonances et comme la respiration intime de l'original. L'entreprise est toujours ardue, mais les différences de structure fondamentales qui séparent le chinois du français la rendent ici parfaitement désespérée. Rappelons seulement que le chinois (pour ne rien dire de sa syntaxe) est, d'une part, monosyllabique et, d'autre part, modulé : si l'on prétendait rendre le mouvement et l'inflexion des phrases il faudrait donc former des séquences d'une brièveté inouïe et, de surcroît, *proprement musicales.*

Mais ce qu'il est possible et, croyons-nous, nécessaire de restituer, c'est *l'allure poétique* du texte; allure que nous n'avons pas craint d'étendre à toute notre traduction au risque de « poétifier », chemin faisant, quelques interpolations ou même quelques bribes prosaïques du discours primitif : cela parce que la distinction entre les rares passages présumés prosaïques et le corps poétique n'est point si nette ni si significative qu'on puisse ou doive la maintenir dans la traduction; et aussi parce que la prose littéraire chinoise étant modulée, assonancée et (quoique irrégulièrement) rythmée, appelle elle-même volontiers la traduction poétique. Se refuser à cet effort eût été s'interdire de retrouver la *fonction primitive* du *Tao-tê-king* qui est essentiellement un recueil de vers sapientiaux, didactiques et mnémotechniques.

Or, en fin de compte, c'est toujours à la fonction qu'il faut se référer pour déterminer la forme d'une traduction : il n'est pas d'autre critère. Négliger arbitrairement le caractère poétique d'un écrit pour ne respecter que sa signification rationnelle, c'est faire comme s'il y avait une pensée définitive avant les mots, comme si les mots n'étaient pas souvent de cette pensée les véritables pères, et c'est par là troubler la rivière à sa source. Assigner à des termes poétiques une fonction prosaïque revient à les priver

8

de leur vérité essentielle, qui ne relève pas toujours de la logique. Il y a une grande part d'irrationnel dans le *Tao-tê-king*, et bien des vocables auxquels les commentateurs cherchent en vain à prêter un contenu idéologique ne sont là que pour confirmer un parallélisme, répondre à une rime, parfaire un rythme, céder à l'entraînement d'une image ou à l'humour d'un jeu de mots. Est-ce à dire qu'ils sont dénués de signification ? Bien au contraire ; mais c'est une signification purement poétique et qui s'évapore parmi les lourdes paraphrases philosophiques. La fidélité consiste-t-elle à faire un triste manuel métaphysique (au demeurant peu clair) de ce qui sonne parfois, presque, comme une comptine ?

Ce dernier mot, comme aussi ce que nous avons dit précédemment de la fonction mnémotechnique du *Tao-tê-king*, justifiera peut-être pour une part la forme que nous avons choisie ou plutôt que nous nous sommes laissé dicter — presque partout vers par vers — par le schéma de chacun des poèmes. Cette forme, nous l'avons cherchée aussi anonyme, aussi ancillaire que possible pour mieux tendre à la transparence. Il est à craindre que, dans la mesure même où nous y sommes parvenus, nous ne décevions les lecteurs qui se laissent éblouir par les faux-semblants des traductions soi-disant littérales (toute traduction, combien qu'on s'en défende, est interprétation) et qui crient au miracle quand on les dépayse par des bizarreries de syntaxe. Il est aussi facile de donner à un texte l'air primitif ou l'air chinois que d'écrire en petit nègre, s'attirant par là du crédit à peu de frais. Mais toute traduction qui prétendrait restituer la syntaxe chinoise n'étant qu'un attrape-nigauds, nous avons préféré prendre le français comme il est, avec son passé classique, sans prétendre à lui redonner une enfance qu'il ne saurait retrouver. Au demeurant, c'est peut-être quand nous avons l'air le plus familier que nous sommes le plus chinois.

François Houang et Pierre Leyris.

Préface
de la première édition

Malgré son contenu très bref et souvent obscur, le *Tao-tê-king*, attribué par la tradition au philosophe Lao-tzeu, a joué un rôle particulièrement important dans l'histoire de la civilisation chinoise. Dès le IVe et le IIIe siècle avant J.-C., son influence [1] était déjà considérable : non seulement il fournissait à Tchouang-tzeu et à l'école taoïste les éléments fondamentaux d'un naturalisme mystique, mais encore il réagissait sur les autres systèmes de pensée. Aux premiers siècles de notre ère, la philosophie lao-tzéenne prépara la diffusion du bouddhisme dans la morale chinoise [2] et fournit des bases métaphysiques à la religion « taoïste » élaborée par les magiciens et les alchimistes. Depuis lors, le *Tao-tê-king* n'a jamais cessé d'exercer une attraction sur les philosophes, même confucéens.

Mais son influence ne fut pas seulement d'ordre philosophique ; il a constitué au cours des âges une source de consolation pour l'âme chinoise enfermée dans la dure contrainte confucéenne, offrant une métaphysique d'évasion à tous ceux que lassait ou blessait la vie artificielle et sclérosée de la famille ou de la société, et livrant aux artistes et aux poètes le secret de vivre joyeusement en union intime avec la nature.

La prodigieuse fortune du *Tao-tê-king* a été due en partie à sa forme littéraire, et singulièrement au fait qu'il ne suit pas un mode d'exposition logique, mais abonde en aphorismes et en paradoxes susceptibles d'être pris soit à la lettre, soit au sens figuré, chacun pouvant dans une certaine mesure interpréter à son gré n'importe lequel de ses versets. D'où la possibilité pour les philosophes des

---

1. A supposer qu'il s'agisse bien du même texte. Précisons ici que nous avons suivi l'édition de Wang Pi (IIIe s.).
2. Le succès du bouddhisme en Chine a été dû, pour une part non négligeable, à l'adoption intelligente de la terminologie taoïste dans la traduction des textes sanscrits en chinois.

écoles les plus diverses de se réclamer du *Tao-tê-king* ; d'où, aussi, le nombre étonnant de proverbes courants qui sont tirés de ce livre. C'est le lieu de dire en passant que cette ambiguïté du texte, pour si féconde qu'elle soit, constitue un obstacle considérable à une traduction intelligible et précise ; l'on a beau consulter tous les commentaires publiés sur ce livre, l'on ne fait que s'égarer dans des gloses tendancieuses sans en tirer grand profit : les cinq mille commentaires, a-t-on dit, n'ont pas réussi à expliquer les cinq mille mots du *Tao-tê-king*. Ajoutons que si, depuis le XIXe siècle, les érudits chinois et les sinologues européens se sont appliqués à étudier scientifiquement le *Tao-tê-king* dans le dessein de restituer le texte original à l'aide des méthodes exégétiques fondées notamment sur la philologie et la comparaison des textes, ils ont sans doute amélioré les données du travail, mais leurs résultats demeurent encore incertains.

Les lettrés chinois ont longtemps cru que Lao-tzeu (c'est-à-dire le *vieux philosophe*) avait été le contemporain de Confucius, quoique son aîné d'une vingtaine d'années. Confucius ayant vécu entre 552 et 479 avant notre ère, on prêtait à Lao-tzeu les dates 570 et 490. On lui attribuait en général le nom de famille *Li*, le nom personnel *Eul*, et le nom posthume honorifique *Tan*. On contait qu'après avoir été longtemps conservateur des archives impériales de Tchéou, il avait, par amour de la retraite et de l'obscurité, délibérément effacé les traces de sa vie. Cette biographie traditionnelle s'appuyait sur l'autorité du grand historien Sse-ma Tsien : celui-ci en effet rapporte dans son Mémoire historique (*Che Ki*) que Confucius ayant rendu visite à Lao-tzeu, il le trouva si élevé et si impénétrable qu'en le quittant il le compara à un dragon. Mais un examen sérieux du document de Sse-ma Tsien montre qu'en vérité il ne savait rien de Lao-tzeu et qu'il avait sans doute puisé tous ses renseignements dans le *Tchouang-tzeu*. Or, le caractère allégorique des histoires racontées par Tchouang-tzeu ne saurait garantir l'authenticité de la vie de Lao-tzeu [1]. Il

1. D'autant plus que les passages où il est question de la rencontre de Confucius avec Lao-tzeu font partie de la « section extérieure », considérée par la plupart des critiques comme apocryphe. Aussi bien, il y est attribué à Lao-tzeu des idées ritualistes qui sont en contradiction avec *Tao-tê-king*, chap. 38 : « Le rite est l'écorce de la sincérité et de la fidélité, mais aussi la source du désordre. »

faut avouer de même que la belle légende populaire selon laquelle Lao-tzeu, en partant vers l'Occident pour s'y retirer, aurait laissé au « gardien de la passe » les cinq mille mots du *Tao-tê-king*, doit être assez tardive, puisqu'elle était inconnue à Tchouang-tzeu qui rapporte la mort du maître.

Dans l'ignorance absolue où nous sommes de tout ce qui concerne le personnage historique de Lao-tzeu, nous ne faisons que suivre la tradition chinoise en lui attribuant la paternité du *Tao-tê-king*.

Quant à la date de composition du *Lao-tzeu*, elle est fort épineuse. La tradition veut qu'il ait été écrit du vivant de Confucius; d'une part à cause de la prétendue entrevue des deux philosophes rapportée dans le *Tchouang-tzeu*, dans le *Li-ki* (chapitre « Le Maître Tchen demande ») et dans Sse-ma Tsien, d'autre part parce que les versets du *Tao-tê-king* sont, ou passent pour être, fréquemment cités (1 745 mots en tout) dans nombre d'ouvrages ayant suivi de plus ou moins près la mort de Confucius [1]. Nous avons vu ce qu'il fallait penser du premier argument. Quant au second, dès lors que l'on écarte la soi-disant référence du *Louen-yu*, il prouve seulement que le *Tao-tê-king* fut composé avant le début du IVe siècle.

En réaction contre la théorie traditionnelle, on est allé jusqu'à considérer le *Tao-tê-king* comme une œuvre apocryphe et une compilation désordonnée, établie entre le IIIe et le IIe siècle avant J.-C., de maximes procédant des diverses écoles antérieures : écrits mystiques de Tchouang-tzeu, textes antimilitaristes de l'école de Mei-ti (ou Mo-tzeu), aphorismes des stratèges, idées de

---

1. *Li-ki, Tchouang-tzeu, Yin-wen-tzeu, Lu-che-tchouen-tsiou, Chankouo-tche, Han-fei-tzeu, Han-che-wai-tchouan, Wai-nan-tzeu, Che-ki, Yen-tie-lun*, et même, prétendait-on le *Louen-yu* (entretiens de Confucius recueillis par ses disciples), où l'on croyait trouver une allusion au verset de Lao-tzeu « rends bienfait pour offense » (ch. 63 du *Tao-tê-king*) dans le passage : « Quelqu'un ayant demandé à Confucius : Que pensez-vous de rendre bienfait pour offense ? — Que rendrez-vous pour le bienfait ? répondit Confucius. Rendez droiture pour offense et bienfait pour bienfait. » Mais le rapprochement des deux textes est purement arbitraire, d'autant plus que le mot « *tê* » (bienfait), évidemment moral chez Confucius, avait vraisemblablement un contenu plus métaphysique chez Lao-tzeu, signifiant le pouvoir de faire du bien à tous les êtres bons ou mauvais, sans acception de personne. Le fait qu'on relève deux fois le mot *wou-wei* (non-faire) dans le *Louen-yu* ne prouve pas non plus un emprunt de Confucius à Lao-tzeu : l'un et l'autre ont puisé au fonds commun du langage de leur temps.

la fin du ixe siècle sur l'ignorantisme politique, etc. C'est, dit-on, cette diversité d'emprunts qui explique son caractère contradictoire. Cependant, tant au point de vue du style qu'au point de vue des rimes, le *Tao-tê-king*, à la réserve de quelques interpolations[1], présente les marques d'une œuvre écrite par un seul auteur[2], et, pour la pensée philosophique, semble bien constituer un tout organique, sinon organisé. En outre, il est difficile de le croire postérieur à Tchouang-tzeu (environ 399-295 avant J.-C.) qui en a développé la teneur et à Han-fei-tzeu (+ 233) qui en a commenté certains passages.

Entre ces deux hypothèses, il y a une *via media*, selon laquelle le *Tao-tê-king* aurait été composé dans une période qui s'étend entre Confucius (551-479) et Meiti (480-438) d'une part, Tchouang-tzeu et Mencius (372-289) de l'autre, soit *grosso modo* entre 460 et 380 avant J.-C. En effet, non seulement Lao-tzeu n'est mentionné ni par Confucius ni par Meiti, mais encore c'est lui qui, en maints passages, prend vivement à partie la pensée de ces deux auteurs. Des termes proprement confucéens comme « *jen* » (que nous traduisons par « amour »), « *yi* » (que nous traduisons par « justice »), « *li* » (que nous traduisons par « rite »), sont vivement attaqués, notamment aux chapitres 18 et 19. De même, à l'encontre de Meiti qui insiste[3] sur la nécessité de « pousser en avant les hommes de mérite », l'auteur du *Tao-tê-king* commence son troisième chapitre par cette phrase : « Ne pousse point les hommes de mérite. »

L'évolution du sentiment religieux en Chine corrobore cette vue. La croyance monothéiste de la Chine antique en un Seigneur du Ciel, en un Dieu unique personnel, *Chang-ti* (Souverain Suprême), croyance abondamment attestée par les *Annales* et les *Odes* (écrites probablement du xie au viie siècle avant J.-C.) — semble être restée vivante à l'époque de Confucius et de Meiti. Dans le *Louen-yu*, quand Confucius parlait du « Ciel », il entendait

---

1. Par exemple les sept dernières lignes du chapitre 31.
2. D'après Kalgren, il n'est pas possible que le texte du *Tao-tê-king* ait été compilé sous les Han, l'étude scientifique des rimes prouvant que les strophes forment un tout organique, tant au point de vue logique qu'au point de vue esthétique.
3. Dans l'édition actuelle de Meiti, on trouve trois chapitres synoptiques intitulés ainsi.

encore le « Souverain du Ciel », à preuve cette parole : « Quand tu as péché contre le Ciel, il n'est pas de lieu pour prier. » Meiti, le plus chrétien de tous les penseurs chinois d'avant le Christ, pensait que la volonté du Ciel (de *Chang-ti*) consistait dans l'amour universel des hommes, et disait expressément : ceux qui obéissent à la volonté du Ciel en s'aimant et en se faisant du bien les uns aux autres seront sûrement récompensés, et ceux qui désobéissent à la volonté du Ciel en se détestant et en se faisant du tort les uns aux autres seront sûrement châtiés; il insistait sur la crainte du Ciel : « Celui qui a péché contre le Ciel n'aura point de lieu où se réfugier. » Or, avec l'auteur du *Tao-tê-king*, le monothéisme semble commencer à évoluer vers un panthéisme, le Dieu personnel cédant la place à un Dieu immanent du Cosmos.

L'hypothèse qui place le *Tao-tê-king* entre 460 et 380 semble donc plus fondée que toute autre, mais elle garde un caractère d'autant plus conjectural que le texte ne mentionne aucun nom de lieu ni de personne susceptible de fournir un point de repère. Dans notre condition ignorante, peut-être serait-il à la fois plus sage et plus aimable de conserver la figure légendaire et traditionnelle de Lao-tzeu. Aussi bien, l'auteur du *Tao-tê-king*, quel qu'il puisse être, ne nous apprend-il pas que toutes ces recherches sont vaines ? La leçon qu'il nous donne n'est-elle pas une leçon sans paroles ? Ne nous exhorte-t-il pas à abandonner l'étude ? Ne condamne-t-il pas les prétentions scientifiques des exégètes qui cherchent à découvrir la différence entre « Oui » et « Non » ? Laissons donc les érudits enterrer, ou déterrer, les morts et contentons-nous du poème si évocateur (chap. xx) où l'auteur nous a tracé son portrait :

> Chacun s'échauffe et se dilate
> Comme s'il festoyait au Sacrifice du Bœuf
> Ou qu'il montât sur les tours du Printemps
> Moi seul demeure en paix, imperturbable
> Comme un petit enfant qui n'a pas encore ri
> Morose comme un sans logis.
> Chacun amasse et thésaurise
> Moi seul je parais démuni
> Quel innocent je fais!
> Quel idiot je suis!

Chacun paraît malin, malin
Moi seul me tais, me tais
Fluctuant comme la mer
Je vais et viens sans cesse
A chacun quelque affaire
Moi seul je m'en abstiens
Incivil et têtu
Pourquoi si singulier ?
Je sais téter ma Mère [1]

François Houang.

1. C'est-à-dire le *Tao* ou la Voie.

Au lecteur

Il est rare qu'une traduction vieille de trente ans n'ait pas lieu d'être remaniée. Aussi avons-nous profité de cette réédition pour revoir de près la nôtre, en tenant compte des nouvelles données critiques apportées par le temps. La découverte récente (1973) à Tchang-cha, province de Hounan, dans une tombe, de deux manuscrits sur soie datant environ de 206 à 180 avant J.-C. n'a fait que confirmer le canon traditionnel[1], particulièrement le texte de Wang Pi (IIIe siècle après J.-C.) que nous avions suivi et qu'on trouvera reproduit ici même. Aussi notre autocritique s'est-elle exercée surtout sur le plan formel. Tout en restant fidèles aux idées exprimées dans notre ancien avant-propos, notamment à la nécessité de conserver à ce bréviaire de sapience son allure poétique et sa vertu mnémotechnique, nous avons dérangé certains parterres trop bien tracés pour serrer le texte plus jalousement que jadis.

D'autre part la préface était suivie dans l'édition de 1949 d'une pondéreuse « Analyse philosophique du *Tao-tê-king* » qui nous a paru étouffer sous les concepts l'agrément à la fois primesautier et profond que chacun retirera du commerce de cet irremplaçable compagnon. Les lignes qui suivent retiennent l'essentiel de ces longs développements.

L'idée centrale du livre est celle du *Tao* (la Voie). Le Tao est l'origine de toutes les choses et de tous les êtres de l'univers, le principe cosmique immanent à toute existence humaine et à toute activité de la Nature. Le *tê* est son efficace, sa *virtus* spon-

---

1. A ceci près qu'ils divisent le livre en deux parties, dont la première est consacrée au *tê* (la vertu) et la seconde au *Tao* (la Voie). Comme il ne saurait y avoir de *tê* avant le *Tao*, il nous a paru inutile d'aller contre une tradition deux fois millénaire pour revenir à cette disposition ancienne.

tanée (qui n'a rien à voir avec la vertu confucéenne liée aux artifices d'une civilisation). L'auteur du *Tao-tê-king* substitue un cosmo-centrisme aux croyances primitives des Chinois. Il déclare le Tao antérieur au Chang-ti — Dieu personnel et unique — des Anciens et se désintéresse des mânes des ancêtres ainsi que des divinités de la Nature.

Le Tao est présenté comme l'unité foncière et indifférenciée où se résolvent toutes les contradictions et toutes les distinctions de l'expérience et de la pensée humaines. Il est ineffable : on peut l'atteindre non par l'intelligence discursive, mais seulement pas une sorte d'intuition mystique. Pour l'évoquer, l'auteur a souvent recours à des métaphores, ou plutôt à des symboles. Il le compare à un bol que le liquide ne comble point, à un abîme sans fond d'où toute chose tire son origine; à l'eau, qui est l'image de la faiblesse et de l'effacement, mais qui, en même temps, est celle de la puissance et de l'affirmation; à la mère, symbole à la fois de passivité et d'activité créatrice. On peut dire que d'une façon paradoxale, le Tao agit sans agir, qu'il ne fait rien, bien que tout soit fait par lui.

Le non-agir (*wou-weï*) devient ainsi la règle de conduite pour celui qui vit en conformité avec le Tao. C'est une sorte de passivité humble, éloignée de tout désir de violence ou de rivalité, mais c'est au fond une espèce d'activité spontanée et inépuisable.

Le sage parfait est celui qui saisit, par expérience mystique, le principe du Tao et règle sa vie en accord avec lui. Il s'abaisse devant les autres hommes, poursuit une vie de quiétude et de vacuité intérieure, et se libère de tout désir comme de tout esprit de rivalité. Lui seul peut être un gouvernant idéal, car il ne se mêlera pas des affaires du peuple, renoncera à la guerre et au luxe, et reconduira le peuple vers un état d'innocence et de simplicité, état où celui-ci, tel un enfant nouveau-né, vivra en harmonie avec le Tao originel.

François Houang et Pierre Leyris.

La Voie et sa vertu

Tao-tê-king

一 章

道可道，非常道。名可名，非常名。

無名，天地之始；有名，萬物之母。

故常無欲，以觀其妙；常有欲，以觀其徼。

此兩者，同出而異名，同謂之玄，玄之又玄，眾妙之門。

1

La voie qui peut s'énoncer
N'est pas la Voie pour toujours
Le nom[1] qui peut la nommer
N'est pas le Nom pour toujours
Elle n'a pas de nom : Ciel-et-Terre en procède
Elle a un nom : Mère-de-toutes-choses
En ce toujours-n'étant considérons le Germe
En ce toujours-étant considérons le Terme[2]
Deux noms issus de l'Un
Ce deux-un est mystère
Mystère des mystères
Porte de toute merveille.

1. Le texte peut signifier soit « le nom qui peut la nommer », soit « le nom qui peut être nommé »; mais, selon la seconde acception, la Voie serait susceptible de recevoir un nom.
2. Pour certains commentateurs, ces deux vers doivent s'entendre : « Toujours sans désir, nous pouvons voir son secret; toujours avec désir, nous pouvons voir ses limites extérieures. » Mais il nous semble préférable de comprendre ce « désir » comme un « vouloir » qui se rapporte à l'action du second membre de la phrase : « voulons considérer » = « considérons ».

二 章

天下皆知美之爲美，斯惡已；

皆知善之爲善，斯不善已。

故有無相生，難易相成，

長短相較，高下相傾，

音聲相和，前後相隨。

是以聖人處無爲之事，行不言之教，

萬物作焉而不辭，

生而不有，爲而不恃，

功成而弗居，

夫唯弗居，是以不去。

2

Quand chacun tient le beau pour beau vient la laideur
Quand chacun tient le bon pour bon viennent les maux
Étant et n'étant pas s'engendrent
Aisé malaisé se parfont
Long et court renvoient l'un à l'autre
Haut et bas se penchent l'un vers l'autre
Voix et son consonnent ensemble
Devant et derrière se suivent
Le sage gouverne par le non-faire
Il enseigne par le non-dire
Il ne refuse rien à la foule des êtres
Mais il nourrit chacun sans se l'approprier
Il accomplit sa tâche sans s'en prévaloir
Il achève son œuvre sans s'y attacher
Et comme il ne s'y attache pas
Il se maintient.

三 章

不尚賢，使民不爭。

不貴難得之貨，使民不為盜。

不見可欲，使民心不亂。

是以聖人之治，虛其心，實其腹，弱其志，強其骨，

常使民無知無欲，使夫智者不敢為也。

為無為，則無不治。

3

N'exalte pas les hommes de mérite
On cessera de batailler
Ne fais nul cas des choses rares
On cessera de dérober
N'exhibe pas ce qui porte à l'envie
Le peuple aura le cœur en paix.

Pour gouverner, ainsi le Sage :
Faire le vide dans les cœurs
Faire le plein dans les ventres
Énerver l'ambition
Fortifier les os
Garder le peuple du savoir et du désir
Faire en sorte que les finauds n'osent rien faire
Fais le non-faire
Tout rentrera dans l'ordre

四　章

道沖而用之或不盈，淵兮似萬物之宗，

挫其銳，解其紛，和其光，同其塵，湛兮似或存。

吾不知誰之子，象帝之先。

4

La Voie est comme un bol vide que nul usage
  ne comble
Un sans-fond dont toute chose a tiré son origine
Elle émousse tout tranchant
Elle démêle tout nœud
Elle fond toutes lumières
Elle fait un de toutes poussières
Cachée dans les profondeurs
Elle semble être à jamais
Enfant de qui, je ne sais
L'aïeule du Souverain [1].

---

1. Lao-tzeu ne se prononce pas sur l'origine de la Voie, mais la fait anté-
rieure au Souverain, dieu personnel unique des *Odes* et des *Annales*.

五　章

天地不仁，以萬物爲芻狗。

聖人不仁，以百姓爲芻狗。

天地之間，其猶橐籥乎，

虛而不屈，動而愈出。

多言數窮，不如守中。

5

A Ciel-et-Terre point d'affections [1]
Tout lui est chien-de-paille [2]
Au Sage non plus point d'affections
Le peuple lui est chien-de-paille
Ciel-et-Terre est comme un soufflet
Vide et pourtant inépuisable
Plus il s'active plus il évente
On a beau en parler nul ne peut le sonder
Mieux vaut rester au centre.

1. *Jen* peut signifier amour, prédilection, ou bien nature humaine. De toute manière, c'est l'anthropomorphisme qui est ici battu en brèche.
2. On portait devant les cortèges funéraires des chiens-de-paille qui happaient au passage les esprits maléfiques : « Les chiens-de-paille, avant l'offrande, sont gardés en des coffres, enveloppés de belle toile, cependant que le représentant du défunt et le prieur se purifient par l'abstinence. Mais, après l'offrande, ils sont jetés à terre, purifiés, brûlés, car si on les remettait dans les coffres afin de s'en servir une autre fois, chacun dans la maison serait tourmenté de cauchemars » (*Tchouang-tzeu*, chapitre « Le Destin du Ciel »).

六　章

谷神不死，是謂玄牝。

玄牝之門，是謂天地根。

緜緜若存，用之不勤。

6

L'Esprit du Val[1] ne meurt point
C'est le Mystérieux Féminin
L'huis du Mystérieux Féminin
Est racine de Ciel-et-Terre
Traînant comme un filandre à peine s'il existe
Mais l'on y puisera sans jamais qu'il s'épuise

1. Et du ruisseau qui y coule.

七　章

天長地久，天地所以能長且久者，以其不自生，故能長生。

是以聖人後其身而身先，外其身而身存。

非以其無私邪，故能成其私。

7

Le ciel dure, la terre persiste
Qu'est-ce donc qui les fait persister et durer?
Ils ne vivent point pour eux-mêmes
Voilà ce qui les fait durer et persister
Le Sage met son corps derrière
On le place devant
Il n'a pas souci de son corps
Par là même son corps se maintient
N'est-ce pas qu'il est sans moi propre?
Par là même son moi s'accomplit.

八　章

上善若水，水善利萬物而不爭，處衆人之所惡，故幾於道。

居善地，心善淵，與善仁，言善信，正善治，事善能，動善時。

夫唯不爭，故無尤。

8

L'homme du bien suprême est comme l'eau
L'eau bénéfique à tout n'est rivale de rien
Elle séjourne aux bas-fonds dédaignés de chacun
De la Voie elle est toute proche

Choisis un bon terrain pour ta demeure
Choisis le profond pour ton cœur
Choisis envers autrui la bienveillance
Choisis en paroles la vérité
Choisis en politique le bon ordre
Choisis en affaires l'efficacité
Choisis pour agir l'opportunité

Ne rivalise point : tu seras sans reproche.

九　章

持而盈之，不如其已。

揣而梲之，不可長保。

金玉滿堂，莫之能守。

富貴而驕，自遺其咎。

功遂身退，天之道。

9

Qui saisit et remplit sans cesse
Il ferait mieux de s'arrêter
Qui bat sans cesse un glaive et sans cesse l'aiguise
La lame en sera vite usée
Qui accumule en sa maison l'or et le jade
N'en pourra défendre l'entrée
Qui tire orgueil de la richesse et des honneurs
Tend l'échine aux calamités
Besogne faite, va-t'en
Telle est la Voie du Ciel.

十　章

載營魄抱一，能無離乎？

專氣致柔，能嬰兒乎？

滌除玄覽，能無疵乎？

愛民治國，能無知乎？

天門開闔，能無雌乎？

明白四達，能無爲乎？

生之畜之，生而不有，

爲而不恃，長而不宰，

是謂玄德。

10

Peux-tu faire à ton âme embrasser l'Un
Dans une union indissoluble ?
Peux-tu, en concentrant ton souffle [1], devenir
Aussi souple qu'un nouveau-né ?
Peux-tu purifier ta vision interne
Jusqu'à la rendre immaculée ?
Peux-tu chérir le peuple et gouverner l'État
Sans user de subtilité ?
Peux-tu ouvrir et clore les battants du Ciel [2]
En jouant le rôle féminin ?
Peux-tu tout voir et tout connaître
En cultivant le non-agir ?

Élève les êtres, nourris-les
Sans chercher à les asservir
Œuvre sans rien revendiquer
Sois un guide et non pas un maître
Voilà la Vertu mystérieuse.

1. *Tchi* signifie l'air vital, le *pneuma* qui circule dans l'être humain tout entier et le sustente. La technique respiratoire des taoïstes concentre le souffle en supprimant toute agitation extérieure pour atteindre à une quiétude qui ressortit à la mystique.
2. Soit le couple Yin-Yang, soit la bouche et les narines.

十一章

三十輻共一轂，當其無，有車之用。

埏埴以爲器，當其無，有器之用。

鑿戶牖以爲室，當其無，有室之用。

故有之以爲利，無之以爲用。

Bien que trente rayons convergent au moyeu
C'est le vide médian
Qui fait marcher le char
L'argile est employée à façonner des vases
Mais c'est du vide interne
Que dépend leur usage
Il n'est chambre où ne soient percées porte et fenêtre
Car c'est le vide encore
Qui permet l'habitat
L'être a des aptitudes
Que le non-être[1] emploie.

1. Rappelons que le non-être — dont le vide offre l'image —
n'est pas ici le néant absolu, mais le Principe inconnaissable.

十二章

五色令人目盲；

五音令人耳聾；

五味令人口爽；

馳騁畋獵，令人心發狂；

難得之貨，令人行妨；

是以聖人爲腹不爲目，

故去彼取此。

12

Les cinq couleurs aveuglent l'œil
Les cinq tons assourdissent l'ouïe
Les cinq saveurs gâtent le palais
La course et la chasse étourdissent
Les biens rares poussent au mal
Aussi le Sage
S'occupe-t-il de son ventre et non pas de son œil
Il préfère l'interne à l'externe.

十三章

寵辱若驚，貴大患若身。

何謂寵辱若驚？

寵為下，得之若驚，失之若驚，是謂寵辱若驚。

何謂貴大患若身？

吾所以有大患者，為吾有身，及吾無身，吾有何患？

故貴以身為天下，若可寄天下；

愛以身為天下，若可託天下。

13

Accueille grâce et disgrâce comme une surprise
Choie la tribulation comme ton propre corps
Comment faut-il entendre
Accueille grâce et disgrâce comme une surprise?
La grâce est supérieure
La disgrâce est inférieure
Les obtenir est une surprise
Les perdre aussi est une surprise
Ainsi faut-il entendre
« Accueille grâce et disgrâce comme une surprise »
Comment faut-il entendre
« Choie la tribulation comme ton propre corps? »
La tribulation vient de ce que j'ai un corps
Si je n'ai plus de corps
Où la tribulation pourra-t-elle m'atteindre?
Ainsi faut-il entendre
« Choie la tribulation comme ton propre corps »
Qui tient pour excellent de se donner au monde
Qu'on lui prête le monde
Mais qui cède à l'amour en se donnant au monde
Qu'on lui donne le monde.

十四章

視之不見名曰夷，

聽之不聞名曰希，

搏之不得名曰微。

此三者，不可致詰，故混而為一；

其上不皦，其下不昧，

繩繩不可名，復歸於無物，

是謂無狀之狀，無物之象，是謂惚恍。

迎之不見其首，隨之不見其後，

執古之道，以御今之有，

能知古始，是謂道紀。

46

14

Ce n'est pas ton œil qui pourrait le voir
Son nom est Sans-Forme
Ce n'est pas ton ouïe qui pourrait l'entendre
Son nom est Sans-Bruit
Ce n'est pas ta main qui pourrait le prendre
Son nom est Sans-Corps
Triple qualité insondable
Et qui se fond dans l'unité
Sa portion supérieure n'est point illuminée
Sa portion inférieure n'est point obscure
Il se meut sans cesse, innommé
Jusqu'à ce qu'il ait fait retour
Dans le royaume de Sans-Choses
Forme informe, image sans corps
Évanescente illusion
En l'accueillant tu ne vois pas sa tête
En le suivant tu ne vois pas sa queue
Prend les rênes de la Voie antique
Et tu tiendras en main les contingences présentes
Savoir ce qui fut au principe
Est le point nodal de la Voie.

十五章

古之善爲士者，微妙玄通，深不可識。

夫唯不可識，故强爲之容，

豫焉若冬涉川，猶兮若畏四鄰，

儼兮其若容，渙兮若冰之將釋，

敦兮其若樸，曠兮其若谷，混兮其若濁；

孰能濁以靜之徐清，孰能安以久動之徐生；

保此道者不欲盈，夫唯不盈，故能蔽不新成。

Le Gouverneur des temps anciens
Était subtil perçant merveilleux et profond
Trop profond pour être sondé
Je suis bien audacieux de tracer sa figure
Il était hésitant comme l'est en hiver
Celui qui passe un gué
Timide comme un homme en butte à ses voisins
De tous quatre côtés
Circonspect comme un invité
Cédant comme un glaçon qui fond
Pur et simple comme un bloc vierge
Vide comme l'est une vallée
Mêlé comme un étang boueux
Qui du mêlé au clair sait passer sans bouger ?
Qui de l'inerte à l'animé en se mouvant ?
Celui qui a la Voie n'essaie point d'être comble
Et comme il n'est pas comble
Il subit l'usure des ans sans décliner.

十六章

致虛極，守靜篤，萬物並作，吾以觀復。

夫物芸芸，各復歸其根；

歸根曰靜，是謂復命；

復命曰常，知常曰明，

不知常，妄作，凶。

知常容，容乃公，公乃王，王乃天，

天乃道，道乃久，沒身不殆。

Atteins Suprême Vacuité
Et maintiens-toi en Quiétude
Face à l'agitation fourmillante des choses
Je contemplerai leur Retour
Car toute chose après avoir fleuri
Retourne à sa racine
Retour à la racine a nom Quiétude
A nom Retour à Destinée
Retour à Destinée a nom Constant
Connaître le Constant, Illumination
Ne pas connaître le Constant
C'est courir aveugle au malheur
Qui connaît le Constant
Embrasse et saisit tout
Quiconque embrasse et saisit tout, il sera juste
Étant juste, sera royal
Étant royal, sera céleste
Étant céleste, fera un avec la Voie
Et faisant un avec la Voie persistera
Toute sa vie durant il échappe au péril.

十七章

太上下知有之，其次親而譽之，其次畏之，其次侮之。

信不足焉，有不信焉，

悠兮其貴言，功成事遂，

百姓皆謂我自然。

17

Le meilleur Gouverneur est ignoré [1] du peuple
Ensuite vient celui que le peuple aime et loue
Puis celui qu'il redoute
Enfin celui qu'il brave
Si tu perds confiance en autrui
Autrui perdra confiance en toi
Le Sage est effacé et homme de peu de mots
Lorsqu'il a fait son œuvre et que chacun prospère
Voilà le fruit de nos efforts! clament cent voix.

1. Certains textes portent : « Le plus grand gouverneur est connu du peuple. » La présente leçon nous a paru plus conforme à l'esprit de Lao-tzeu.

十八章

大道廢，有仁義。

慧智出，有大僞。

六親不和，有孝慈。

國家昏亂，有忠臣。

18

Quand la Grande Voie fut laissée
Naquirent l'amour et la justice
Avec la raison et l'esprit
Naquirent de fieffés hypocrites
Du discord des six parentés [1]
Piété du fils, amour du père
De désordre et nuit au royaume
Loyauté.

1. Les six parentés : père-fils, frère aîné-frère
cadet, mari-femme, et la réciproque.

十九章

絕聖棄智，民利百倍。

絕仁棄義，民復孝慈，

絕巧棄利，盜賊無有，

此三者，以爲文不足，

故令有所屬，

見素抱樸，少私寡欲。

19

Laisse-là ta sagesse et ton intelligence
Le peuple en tirera cent fois plus de profit
Laisse-là ta justice et ton humanité
Tu verras refleurir l'amour de père à fils
Laisse-là ta cautèle et ton esprit de lucre
Tu verras disparaître escrocs et malandrins
Toutefois ces trois préceptes sont accessoires
Pour gouverner il faut
Saisir le simple et embrasser le primitif
Réduire son moi et brider ses désirs.

二十章

絕學無憂，唯之與阿，相去幾何。善之與惡，相去若何。

人之所畏，不可不畏，

荒兮其未央哉。

衆人熙熙，如太享牢，如春登臺。

我獨泊兮其未兆，如嬰兒之未孩，儽儽兮若無所歸，

衆人皆有餘，而我獨若遺，

我愚人之心也哉，沌沌兮，

俗人昭昭，我獨昏昏，俗人察察我獨悶悶，

澹兮其若海，飂兮若無止，

衆人皆有以，而我獨頑似鄙，

我獨異於人，而貴食母。

58

Abandonne l'étude et par là le souci
En quoi diffèrent oui et non?
En quoi diffèrent
Bien et mal?
Ce qui effraye autrui, dois-je m'en effrayer?
Quelle insondable absurdité!
Chacun s'échauffe et se dilate
Comme s'il festoyait au Sacrifice du Bœuf
Ou qu'il montât sur les Tours du Printemps
Moi seul demeure en paix, imperturbable
Comme un petit enfant qui n'a pas encore ri
Détaché comme un sans-logis
Chacun amasse et thésaurise
Moi seul je parais démuni
Quel innocent je fais!
Quel idiot je suis!
Chacun paraît malin malin
Moi seul me tais me tais
Fluctuant comme la mer
Je vais et viens sans cesse
A chacun quelque affaire
Moi seul je m'en abstiens
Incivil et têtu
Pourquoi si singulier?
Je sais téter ma Mère.

二十一章

孔德之容，惟道是從，

道之為物，惟恍惟惚。

惚兮恍兮，其中有象。

恍兮惚兮，其中有物。

窈兮冥兮，其中有精；

其精甚真，其中有信。

自古及今，其名不去，以閱眾甫。

吾何以知眾甫之狀哉？以此。

La Grande Vertu par nature
Suit la Voie et rien que la Voie

La Voie est au monde des choses
Illusion évanescente
Illusion évanescente
Mais en qui se trouvent des formes
Illusion évanescente
Mais en qui se trouvent des choses
Un mirage crépusculaire
Mais habité par des essences
Et par de solides promesses

Depuis les temps anciens jusqu'à ce jour
Son nom s'est maintenu
Dans la contemplation du Principe des choses
Comment puis-je savoir
Qu'il en était ainsi au Principe des choses ?
Comme ça !

二十二章

曲則全，枉則直，

窪則盈，敝則新，

少則得，多則惑，

是以聖人抱一爲天下式。

不自見故明，不自是故彰，

不自伐故有功，不自矜故長。

夫唯不爭，故天下莫能與之爭。

古之所謂曲則全者，豈虛言哉，

誠全而歸之。

22

Plie-toi en deux, tu resteras entier
Incurve-toi tu seras redressé
Sois vide afin d'être rempli
Usé tu seras rajeuni
Possède peu, ce peu fructifiera
Beaucoup, ce beaucoup se perdra
Le Sage embrasse l'Un, à toute créature
Devenant un modèle
Il ne s'exhibe point et du coup resplendit
Ne se justifie point, ce qui fait qu'on l'exalte
Ne se glorifie point, pour son plus grand crédit
Tait ses succès et par là même se maintient
Ne rivalisant point il n'a pas de rival
Le dicton ancien : Plie, tu resteras entier
N'est pas un mot en l'air
Reste entier, tout viendra à toi.

二十三章

希言自然，

故飄風不終朝，驟雨不終日，

孰爲此者？天地。

天地尚不能久，而況於人乎！

故從事於道者，道者同於道，德者同於德，失者同於失。

同於道者，道亦樂得之，

同於德者，德亦樂得之；

同於失者，失亦樂得之。

信不足焉，有不信焉。

23

Parle peu
Laisse aller
Un grand vent ne va pas plus loin que le matin
Une averse on en voit la fin avec le jour
Mais qui donc fait averse et vent? C'est Ciel-et-Terre
Si l'ouvrage de Ciel-et-Terre est sans durée
Que dire de celui des hommes?
Qui cultive la Voie fait un avec la Voie
Qui cultive la Vertu, un avec la Vertu
Qui courtise la Perte, un de même avec elle
Or qui fait un avec la Voie, la Voie tout aussitôt l'accueille
Qui fait un avec la Vertu, la Vertu lui ouvre les bras
Et qui fait un avec la Perte, alors la Perte le reçoit.
Manque de foi appelle
Manque de foi.

二十四章

企者不立，跨者不行，

自見者不明，自是者不彰，

自伐者無功，自矜者不長。

其在道也，曰，餘食贅行，

物或惡之，故有道者不處。

24

Qui se dresse sur la pointe des pieds est chancelant
Qui marche à pas glorieux couvre peu de distance
Qui fait parade de soi-même est sans éclat
Qui se donne raison n'est pas mis au pinacle
Qui vante ses talents passe pour sans mérite
Qui se targue de ses succès prépare sa chute
Ce sont là pour la Voie
Des rebuts de mangeaille ou des enflures vaines
Tout un chacun en a dégoût
Et l'homme de la Voie s'en détourne.

二十五章

有物混成，先天地生。

寂兮寥兮，獨立不改，周行而不殆，可以爲天下母，

吾不知其名，字之曰道，强爲之名曰大。

大曰逝，逝曰遠，遠曰反。

故道大，天大，地大，王亦大。

域中有四大，而王居其一焉。

人法地，地法天，天法道，道法自然。

25

Un quelque chose était, non défini mais accompli
Né avant Ciel-et-Terre
Sans parole comme sans borne
Indépendant inaltérable
Se jouant partout sans fatigue
En somme la Mère du monde
Ne sachant pas son nom je le dénomme Voie
Faute de mieux je le dis grand
Grandeur signifie étendue
Étendue, qu'on atteint au loin
Atteindre au loin faire Retour.

Or donc
La Voie est grande
Le Ciel est grand
La Terre est grande
Et l'Homme est grand
C'est pourquoi l'Homme est l'un des quatre
    Grands du monde
L'Homme suit les voies de la Terre
La Terre suit les voies du Ciel
Le Ciel suit les voies de la Voie
Et la Voie suit ses propres voies.

二十六章

重爲輕根，靜爲躁君。

是以聖人終日行，不離輜重；

雖有榮觀，燕處超然。

奈何萬乘之主，而以身輕天下？

輕則失本，躁則失君。

26

Pesant racine de Léger
Tranquille, seigneur d'Inquiet
Aussi le Sage fait-il excursion tout le jour
Sans quitter le pesant fourgon
Malgré les échappées superbes
Il reste en paix dans son intime
Toi qui possèdes mille chars
Pourquoi te montres-tu léger?
Le léger perd bientôt racine
Et l'inquiet seigneurie de soi.

二十七章

善行無轍迹，善言無瑕讁，善數不用籌策，
善閉無關楗而不可開，善結無繩約而不可解。

是以聖人常善救人，故無棄人；

常善救物，故無棄物；

是謂襲明。

故善人者，不善人之師；

不善人者，善人之資；

不貴其師，不愛其資，雖智大迷，是謂要妙。

27

Qui marche bien ne laisse pas de traces
Qui parle bien son discours est sans failles
Qui compte bien n'a que faire d'abaque
Qui ferme bien n'use point de barres et personne
    n'ouvrira
Qui lie bien n'use point de cordes et personne ne déliera
Le Sage est toujours prêt à faire du bien aux hommes
Sans excepter quiconque
Le Sage est toujours prêt à faire du bien aux choses
Sans excepter aucune
C'est là ce qu'on appelle suivre la Lumière
L'homme de bien est le façonneur de l'homme de mal
L'homme de mal est le matériau de l'homme de bien
Si celui-là ne révère pas son maître
Si celui-ci ne ménage point son matériau
Le plus malin se fourvoiera
Voilà le secret essentiel.

二十八章

知其雄，守其雌，為天下谿，

為天下谿，常德不離，復歸於嬰兒。

知其白，守其黑，為天下式；

為天下式，常德不忒，復歸於無極。

知其榮，守其辱，為天下谷；

為天下谷，常德乃足，復歸於樸。

樸散則為器，聖人用之，則為官長；故大制不割。

74

28

Connais en toi le masculin
Adhère au féminin
Fais-toi Ravin du monde
Être Ravin du monde
C'est faire corps avec la Vertu immuable
C'est retourner à la petite enfance.

Connais en toi le blanc
Adhère au noir
Fais-toi Norme du monde
Être Norme du monde
C'est cheminer avec la Vertu immuable
C'est retourner au Sans-limites.

Connais la gloire
Adhère à la disgrâce
Fais-toi Vallée du monde
Être Vallée du monde
C'est avoir à pleins bords la Vertu immuable
C'est retourner au Simple.

Le bloc du Simple primordial
Est détaillé en ustensiles
Mais le Sage, c'est le bloc vierge
Qu'il adopte comme ministre
Car le Maître de l'Art n'a garde de tailler,

二十九章

將欲取天下而為之，吾見其不得已，

天下神器，不可為也，

為者敗之，執者失之。

故物，或行或隨，或歔或吹，或強或羸，或挫或隳。

是以聖人去甚，去奢，去泰。

76

29

Quiconque veut s'emparer du monde et s'en servir
Court à l'échec
Le monde est un vase sacré
Qui ne supporte pas qu'on s'en empare et qu'on s'en
    serve
Qui s'en sert le détruit
Qui s'en empare le perd.

Les uns ouvrent la marche les autres suivent
Les uns ont le souffle léger les autres fort
Les uns sont vigoureux les autres sont débiles
Les uns restent debout les autres tombent

Le Sage évite
Tout excès tout extrême et toute extravagance.

三十章

以道佐人主者，不以兵強天下，其事好還。

師之所處，荊棘生焉。

大軍之後，必有凶年。

善有果而已，不敢以取強，

果而勿矜，果而勿伐，果而勿驕，果而不得已，果而勿強。

物壯則老，是謂不道，不道早已。

Le gouverneur qui maintient dans la Voie
Ne cherche pas à primer par les armes
Car primer par les armes appelle à la riposte
Là où stationnent les armées pousse la ronce
La disette a toujours couronné les combats
L'homme de bien se défend résolument, sans plus
Il ne conquiert rien par la force
Il est résolu sans orgueil
Résolu sans ostentation
Résolu sans provocation
Résolu par nécessité
Résolu sans aucun désir de dominer.
Qui s'accroît est sur le déclin
Parce qu'il va contre la Voie
Tout ce qui va contre la Voie court à sa perte.

三十一章

夫佳兵者，不祥之器，

物或惡之；故有道者不處。

君子居則貴左，用兵則貴右。

兵者不祥之器，非君子之器，

不得已而用之，恬淡爲上。

勝而不美，而美之者，是樂殺人。

夫樂殺人者，則不可以得志於天下矣。

吉事尚左，凶事尚右，

偏將軍居左，上將軍居右，言以喪禮處之。

殺人之眾，以哀悲泣之；

戰勝，以喪禮處之。

80

Les armes sont des outils de malheur
Nul ne les aime
Et l'homme de la Voie leur tournera le dos
Chez l'homme de bien la gauche est la place d'honneur
Mais à la guerre c'est la droite
Puisque les armes sont des outils de malheur
Il ne sied pas à l'homme de bien d'en faire usage
Si la nécessité ne les lui met en main
C'est la quiétude et c'est la paix qu'il doit chérir
De la victoire il ne se réjouit point
Car se réjouir d'une victoire
C'est se réjouir de massacrer des hommes
Et quand on se réjouit de massacrer des hommes
Comment prospérer parmi eux?
La gauche est la place d'honneur aux heures fastes
Et la droite aux heures néfastes
A la guerre, le général de corps d'armée se tient à gauche
Le général en chef à droite
Égalant de ce fait la guerre aux funérailles
Sur la mort d'un grand nombre d'hommes
Il est juste de mener deuil, comme il est juste
D'accompagner la victoire de rites funèbres.

三十二章

道常無名，樸雖小，天下莫能臣也。

侯王若能守之，萬物將自賓。

天地相合，以降甘露，民莫之令而自均。

始制有名，名亦既有，夫亦將知止，

知止可以不殆。

譬道之在天下，猶川谷之於江海。

32

Éternelle, sans nom, la Voie
Petite en sa simplicité première
Rien au monde ne la surpasse
Si les ducs et les princes y adhéraient
Tout lui rendrait hommage
De Ciel-et-Terre en harmonie
Tomberait une douce rosée
Le peuple sans contrainte aucune
De lui-même se rangerait
Dès qu'une institution surgit naissent les noms
Et dès lors que les noms sont nés
C'est le moment de s'arrêter
Savoir s'arrêter prévient le péril
La Voie est à ce monde
Ce que sont fleuve et mer au ruisseau et au val.

三十三章

知人者智，自知者明，

勝人者有力，自勝者強，

知足者富，強行者有志，

不失其所者久，死而不亡者壽。

33

Qui connaît les autres est avisé
Qui se connaît lui-même est éclairé
Qui triomphe des autres est robuste
Qui triomphe de soi est puissant
Qui s'estime content est riche
Qui marche d'un pas ferme est maître du vouloir
Qui ne perd pas son lieu se maintiendra
Qui franchit la mort sans périr connaîtra la longévité

三十四章

大道氾兮，其可左右，

萬物恃之而生而不辭，

功成不名有，衣養萬物而不爲主，

常無欲，可名於小；

萬物歸焉而不爲主，可名爲大；

以其終不自爲大，故能成其大。

34

La Grande Voie se répand comme un flot
Qui peut lui dire à droite à gauche ?
Chacun dépend d'Elle pour vivre
Elle ne se détourne d'aucun
Elle s'acquitte de sa tâche
Mais nullement ne s'en prévaut
Elle vêt et nourrit tout être
Mais sans l'asservir, étant humble
Tout fait retour en son giron
Sans s'asservir car Elle est grande
C'est dans l'oubli de sa grandeur
Que sa grandeur se parachève.

三十五章

執大象，天下往；

往而不害，安平太。

樂與餌，過客止。

道之出口，淡乎其無味；

視之不足見，

聽之不足聞，

用之不足既。

35

Qui possède le Grand Symbole [1]
Tous s'en vont à lui sous le ciel
Ils n'en reçoivent nul dommage
Mais sécurité paix et joie
La musique et la bonne chère
Savent racoler les passants
Mais les paroles de la Voie
Étant sans ragoût ni saveur,
Tu le [2] regardes sans le voir
Et tu l'écoutes sans l'entendre
Tout inépuisable qu'il soit.

1. Le mot *siang* a signifié successivement éléphant, ivoire, tablette divina-toire, objet taillé, image ou symbole. Le Grand Symbole, c'est la Grande Forme sans contours, miroir et virtualité de toutes choses, la Voie. Malgré l'« intuition » de M. Liou Kia-hway applaudie par M. Etiemble, il nous paraît exclu sémantiquement et syntactiquement de comprendre : « Celui qui détient la Grande Image peut parcourir le monde... »
2. Il s'agit toujours du Grand Symbole.

三十六章

將欲歙之，必固張之；

將欲弱之，必固強之；

對欲廢之，必固與之；

將欲奪之，必固與之；

是謂微明。

柔弱勝剛強，

魚不可脫於淵；

國之利器，不可以示人。

36

Ce qui est à fermer
Il faut d'abord l'ouvrir
D'abord consolider
Ce qui est à fléchir
D'abord favoriser
Ce qui est à détruire
Et d'abord dispenser
Ce qui est à saisir [1]
Le souple vainc le dur, le faible vainc le fort
Mieux vaut que le poisson demeure en eau profonde
Les armes d'un État dans l'ombre.

---

1. Nous laissons de côté ici un vers qui semble être en désaccord avec le contexte : « C'est ce qu'on appelle la lumière subtile. »

三十七章

道常無爲，而無不爲。

侯王若能守之，萬物將自化；

化而欲作，吾將鎮之以無名之樸。

無名之樸，夫亦將無欲，

不欲以靜，天下將自定。

92

La Voie n'agit jamais or tout est fait par elle
Si seulement princes et ducs y adhéraient
Toute chose muerait de soi-même sous le ciel
Mais si quelqu'une s'activait
Simplicité-sans-nom saurait la maintenir
Simplicité-sans-nom est Sans-désirs
Sans-désirs est Tranquillité
Le monde siégerait alors dans la Quiétude.

三十八章

上德不德，是以有德；

下德不失德，是以無德。

上德無為，而無以為。下德為之，而有以為。

上仁為之，而無以為。上義為之，而有以為。

上禮為之，而莫之應，則攘臂而扔之。

故失道而後德，失德而後仁，

失仁而後義，失義而後禮。

夫禮者，忠信之薄，而亂之首；

前識者，道之華，而愚之始。

是以大丈夫處其厚不居其薄，

處其實不居其華；故去彼取此。

38

La vertu supérieure ne possède pas [1] la Vertu et par là même la possède
La vertu inférieure ne perd pas [2] la Vertu et par là même la perd
La vertu supérieure n'agit ni ne calcule
La vertu inférieure et agit et calcule
L'amour supérieur agit mais ne calcule
La justice supérieure et agit et calcule
La politesse supérieure agit et, vient-on à lui manquer, retrousse ses manches

C'est pourquoi il a été dit :

Après la perte de la Voie vient la Vertu
Après la perte de la Vertu vient l'Amour
Après la perte de l'Amour vient la Justice
Après la perte de la Justice viennent les rites

Le rite est l'écorce de la sincérité et de la fidélité, mais aussi la source du désordre
La prescience est la fleur de la Voie mais aussi le seuil de l'ignorance
Le Sage s'appuie sur le solide et non sur la fleur éphémère
Prisant le fruit et méprisant la fleur
Il rejette celle-ci, adopte celui-là.

1. Sciemment.
2. De vue.

三十九章

昔之得一者，

天得一以清，地得以一寧，

神得一以靈，谷得一以盈，

萬物得一以生，侯王得一以爲天下貞，其致之。

天無以清將恐裂，地無以寧將恐發，

神無以靈將恐歇，谷無以盈將恐竭，

萬物無以生將恐滅，侯王無以貴高將恐蹶。

故貴以賤爲本，高以下爲基。

是以侯王自謂孤、寡、不穀，此非以賤爲本邪非乎？

故致數輿無輿，不欲琭琭如玉，珞珞如石。

Voici ce qui jadis atteignit l'Un :

Le Ciel atteignit l'Un et devint clair
La Terre atteignit l'Un et devint calme
Les Esprits atteignirent l'Un, d'où leur pouvoir
Les cours d'eau atteignirent l'Un et se remplirent
Les êtres atteignirent l'Un et se multiplièrent
Les princes atteignirent l'Un et régnèrent sur le monde.

Si le Ciel n'était clair il tomberait en poudre
Si la Terre n'était calme elle s'émietterait
Si les Esprits n'étaient puissants, ils ne seraient
Si les cours d'eau désemplissaient ils tariraient
Si les êtres ne se multipliaient, ils s'éteindraient
Si les princes n'étaient éminents, ils tomberaient

Humilité de grandeur est racine
Et bas de haut le fondement
Aussi princes et ducs se nomment-ils eux-mêmes
« Orphelins » « esseulés » « indigents » [1]
Verraient-ils dans l'humilité le fondement ?

Excès d'honneur égale déshonneur
La sagesse n'est pas de briller comme un jade
Ni de sonner comme un tambour de pierre.

1. Par courtoisie de grand seigneur.

四十章

反者道之動，弱者道之用。

天下萬物生於有，有生於無。

40

Retour le mouvement de la Voie
Faiblesse sa coutume
Toutes choses sous le ciel naissent de ce qui est
Ce qui est de ce qui n'est pas.

四十一章

上士聞道，勤而行之；

中士聞道，若存若亡；

下士聞道，大笑之；

不笑不足以爲道。

建言有之，

明道若昧，進道若退，夷道若纇。

上德若谷，大白若辱，廣德若不足。

建得若偷，質眞若渝。

大方無隅，大器晚成，大音希聲，大象無形，

道隱無名；夫唯道，善貸且成。

100

Lorsqu'un homme élevé entend la Voie
Il l'embrasse avec zèle
Lorsqu'un homme moyen entend la Voie
Il en prend et en laisse
Lorsqu'un homme inférieur entend la Voie
Il éclate de rire
La Voie s'il ne riait ne serait plus la Voie.

Les anciens disaient :

La Voie de la lumière apparaît ténébreuse
La Voie du progrès rétrograde
La Voie unie apparaît montueuse
Et la Vertu suprême abîme.

La blancheur éclatante apparaît obscurcie
La Vertu qui abonde apparaît démunie
La Vertu bien assise apparaît chancelante
Et la Vertu vraie appauvrie.

Le Grand Carré n'a pas de coins
Le Grand Vase est lent à parfaire
La Grande Musique est muette
La Frande Forme sans contours

Cachée sans nom la Voie
Soutient et accomplit.

四十二章

道生一，一生二，二生三，三生萬物。

萬物負陰而抱陽，沖氣以為和。

人之所惡，唯孤、寡、不穀；而王公以為稱。

故物或損之而益，或益之而損。

人之所教，我亦教之。

強梁者不得其死，吾將以為教父。

42

De la Voie naquit un
D'un deux
Et de deux trois
Trois engendrant dix mille
Dix mille porte *Yin* à dos, *Yang* en ses bras
Puisant harmonie à leurs souffles
Qui veut être orphelin, esseulé, indigent?
Ce sont noms cependant que se donnent les princes
Qui gagne perd et qui perd gagne

Je l'enseigne après d'autres :
« Au violent mort violente »
Que l'homme de ce dire soit mon maître!

四十三章

天下之至柔，馳騁天下之至堅。

無有入無閒，吾是以知無爲之有益。

不言之教，無爲之益，天下希及之。

Le plus souple en ce monde
Prime le plus rigide
Seul le rien s'insère dans le sans-faille
A quoi je reconnais l'efficace du non-faire.

La leçon du non-dire
L'efficace du non-faire
Rien ne saurait les égaler.

四十四章

名與身孰親？身與貨孰多？得與亡孰病？

是故甚愛必大費，多藏必厚亡。

知足不辱，知止不殆，可以長久。

Du renom et du corps quel est le plus précieux?
Du corps, de la richesse quel le plus estimable?
De la perte et du gain quel le plus douloureux?

Qui trop aime sera cruellement frustré
Qui trop amasse alourdira sa perte
Se contenter de peu c'est parer à disgrâce
S'arrêter juste à temps, prévenir tout péril

Autrement, point de longue vie.

四十五章

大成若缺，其用不弊。

大盈若沖，共用不窮。

大直若屈，大巧若拙，大辯若訥。

躁勝寒，靜勝熱，清靜爲天下正。

45

La perfection suprême semble imparfaite
Son usage est inépuisable
La plénitude suprême semble vide
Son usage est illimité
La rectitude suprême semble gauchie
La suprême invention niaise
L'éloquence suprême frappée de bégaiement

L'in-quiétude a raison[1] du froid
Le repos a raison du chaud
Quiétude et repos sont les normes du monde.

1. N'a raison que du froid.

四十六章

天下有道，卻走馬以糞；

天下無道，戎馬生於郊。

禍莫大於不知足，咎莫大於欲得；

故知足之足，常足矣。

110

46

Si le monde a la Voie
Les rapides coursiers engraissent les labours
Mais s'il n'a pas la Voie
Les chevaux de combat pullulent dans les faubourgs

Point de crime plus grand que d'exciter l'envie
Point de plus grand malheur que d'être insatiable
Point de pire fléau que l'esprit d'appétit
Qui s'estime content sera content sans cesse.

四十七章

不出戶，知天下；

不闚牖，見天道。

其出彌遠，其知彌少，

是以聖人不行而知，

不見而名，

不爲而成。

47

Sans franchir le pas de ta porte
Connais les voies de sous le ciel
Sans regarder à ta fenêtre
Connais la Voie du Ciel

Plus loin tu vas
Moins tu connais

Le sage connaît sans bouger
Comprend sans voir
Œuvre sans faire.

四十八章

爲學日益，爲道日損，

損之又損，以至於無爲；

無爲而無不爲。

取天下常以無事，

及其有事，不足以取天下。

114

48

Apprendre c'est de jour en jour s'accroître
Suivre la Voie de jour en jour décroître
Décroître encore décroître
Jusqu'au non-faire
Par le non-faire rien qui ne se puisse faire
Tout abdiquer c'est gagner l'univers
Viser à une fin
C'est être impropre à gagner l'univers.

四十九章

聖人無常心，以百姓心爲心；

善者吾善之，不善者吾亦善之，德善；

信者吾信之，不信者吾亦信之，德信。

聖人在天下，歙歙爲天下渾其心，聖人皆孩之。

Au Sage point d'esprit fixe
L'esprit du peuple, voilà son propre esprit

Bon pour les bons
Et bon aussi pour ceux qui ne le sont
Car Vertu même est bonne

Fidèle aux hommes fidèles
Fidèle aussi à ceux qui ne le sont
Car Vertu est fidèle

Le Sage sous le ciel
Pudique et effacé
Garde son cœur indistinctement simple
Envers ce qui est sous le ciel

Quand le vulgaire
Écarquille les yeux et tend l'oreille
Il lui sourit comme un petit enfant.

五十章

出生入死，生之徒十有三，死之徒十有三；

人之生，動之死地亦十有三。

夫何故？以其生生之厚。

蓋聞善攝生者，

陸行不遇兕虎，

入軍不被甲兵，

兕無所投其角，

虎無所措其爪，

兵無所容其刃。

夫何故？以其無死地。

Quand on sort de la vie on entre dans la mort
Treize les compagnons de la vie
Treize les compagnons de la mort
Treize les compagnons de ceux qui vont vers la Terre de Mort[1].

Comment cela? On surmène sa vie
Quiconque connaît l'art de ménager sa vie
N'a point à redouter les tigres en voyage
Ni à la guerre les armes ennemies.

Le buffle ne sait comment l'encorner
Le tigre ne sait comment le griffer
Le glaive ne sait comment le blesser
Pourquoi cela?
C'est qu'ils ne trouvent pas en lui de point mortel.

1. Passage obscur. Selon Han-Fei-tzeu, les treize compagnons sont les quatre membres et les neuf ouvertures du corps; qu'on en fasse un usage prudent, ils conserveront la vie; qu'on en abuse, ils feront escorte à la mort.

五十一章

道生之，德畜之，物形之，勢成之。

是以萬物莫不尊道而貴德。

道之尊，德之貴，夫莫之命而常自然。

故道生之，德畜之，長之，育之，亭之，毒之，養之，覆之。

生而不有，為而不恃，長而不宰，是謂玄德。

51

La Voie leur donne vie
La Vertu les élève
L'espèce les façonne
Le milieu les achève
Aussi est-ce unanimement que toutes choses
Adorent la Voie et vénèrent la Vertu
Non qu'adorer la Voie
Vénérer la Vertu
Soient des devoirs dictés : c'est pente naturelle
Ainsi donc c'est la Voie qui leur donne la vie
C'est la Vertu qui les élève
Qui les sustente et les fait croître
Qui les abrite et les conforte
Qui les nourrit et les protège.

Donner la vie sans rien revendiquer
Accomplir sa besogne et ne pas s'en vanter
Guider le peuple et ne pas l'opprimer
Qu'est-ce autre que Vertu mystérieuse?

五十二章

天下有始，以爲天下母，

旣得其母，以知其子；

旣知其子，復守其母；

沒身不殆。

塞其兌，閉其門，終身不勤。

開其兌，濟其事，終身不救。

見小曰明，守柔曰強。

用其光，復歸其明，無遺身殃，是爲習常。

52

Sous-le-Ciel a une origine
En qui je vois la Mère de Sous-le-Ciel
Quiconque appréhende la Mère
Il connaîtra bientôt Ses fils
Mais dès lors qu'il connaît Ses fils
Il s'en retourne adhérer à la Mère
Et n'encourra sa vie durant aucun péril.
Bloque tous les passages
Ferme toutes les portes
Atteins sans t'épuiser au terme de ta vie.
Ouvre tous les passages
Multiplie les besognes
Te voilà sans secours au terme de ta vie.
Qui peut saisir l'infime à la vue intérieure
Qui apprend à céder est maître de la force
Utilise la lumière
Et fais retour à la vue intérieure
Garde-toi d'attirer les malheurs sur ta tête
C'est là cultiver le Constant.

使我介然有知，行於大道，唯施是畏。

大道甚夷，而民好徑；

朝甚除，田甚蕪，倉甚虛，

服文綵，帶利劍，厭飲食，財貨有餘，

是謂盜夸，非道也哉。

53

Si j'avais un grain de sagesse
Je marcherais dans la Grande Voie
Ne craignant que d'en dévier.

La Grande Voie est unie et droite
Mais la foule aime les détours.

Les cours d'honneur sont bien nettes
Mais les champs sont pleins d'ivraie
Et les greniers vides.

Voyez ces riches habits
Ces porteurs d'épées tranchantes
Gorgés de boire, de manger
Nantis outre leurs besoins.

Voies de brigandage
Mais non pas la Voie.

善建者不拔，善抱者不脫，子孫以祭祀不輟。

修之於身，其德乃眞；

修之於家，其德乃餘；

修之於鄉，其德乃長；

修之於國，其德乃豐；

修之於天下，其德乃普。

故以身觀身，以家觀家，

以鄉觀鄉，以國觀國，

以天下觀天下。

吾何以知天下然哉？以此。

54

Ce qui est bien planté ne peut être extirpé
Ce qui est bien étreint ne peut se dégager
C'est grâce à la Vertu que fils et petits-fils
Célèbrent sans faillir le culte des ancêtres

Cultivée en soi-même
La Vertu de la Voie devient vertu sincère
Cultivée en famille, vertu surabondante
Cultivée au village, vertu persévérante
Cultivée dans l'État, est vertu florissante
Cultivée dans le monde, vertu universelle

Connais l'Homme d'après toi-même
La Famille d'après la famille
Le Village d'après le village
L'État d'après l'État
Le Monde d'après le monde
Comment puis-je savoir ce qu'il en est du Monde?
Ainsi!

五十五章

含德之厚，比之赤子。

蜂蠆虺蛇不螫，猛獸不據，攫鳥不搏。

骨弱筋柔而握固，

未知牝牡之合而全作，

精之至也。

終日號而不嗄，

和之至也。

知和曰常，知常曰明，益生曰祥，心使氣曰強。

物壯則老，謂之不道，不道早已。

128

55

Celui qu'anime la Vertu
Est comme un enfant nouveau-né
Les guêpes les scorpions les serpents le respectent
Les oiseaux de proie ne l'enlèvent
Ni les fauves ne le déchirent
Il a les os ténus et les muscles fluets
Mais sa poigne est toute-puissante
Il ignore l'union du mâle et du femelle
Mais son pénis est érigé
Sa force vitale à son comble
Il clame tout le jour sans en être enroué
Il connaît l'Harmonie parfaite

Connaître l'Harmonie : connaître le Constant
Connaître le Constant : Illumination
                    [*mais au contraire*]
Précipiter la vie : signifier sa perte
Activer à l'excès le souffle : se roidir
Atteindre à la vigueur : amorcer son déclin
Tout cela est nommé A-rebours-de-la-Voie
A-rebours-de-la-Voie court à la mort.

五十六章

知者不言，言者不知。

塞其兌，閉其門，挫其銳，解其分，和其光，同其塵，

是謂玄同。

故不可得而親，

不可得而疏，

不可得而利，

不可得而害，

不可得而貴，

不可得而賤，

故爲天下貴。

56

Qui sait ne parle pas
Qui parle ne sait pas.
Condamne tout passage
Ferme toute ouverture
Émousse tout tranchant
Dénoue ton écheveau
Unifie toutes lumières
Mêle toutes poussières

Là réside l'Identité mystérieuse

Tu ne peux l'approcher
Non plus que t'en distraire
Lui porter bénéfice
Non plus que préjudice
Lui conférer honneur
Non plus que déshonneur

Rien dans tout l'univers ne la passe
    en noblesse.

五十七章

以正治國，以奇用兵，以無事取天下；

吾何以知其然哉？以此。

天下多忌諱，而民彌貧，

民多利器，國家滋昏，

人多伎巧，奇物滋起；

法令滋彰，盜賊多有。

故聖人云：

我無為而民自化，

我好靜而民自正，

我無事而民自富，

我無欲而民自樸。

132

Un État se régit par l'esprit de droiture
Une guerre se soutient par des coups de surprise
Mais c'est par le non-faire que l'on gagne le monde
Comment le sais-je?
Ainsi !

Plus règnent tabous et défenses
Et plus le peuple s'appauvrit
Plus l'on compte d'armes tranchantes
Et plus le désordre sévit
Plus abonde l'intelligence
Et plus se voient d'étranges fruits
Plus s'allongent les ordonnances
Et plus foisonnent les bandits.

Aussi le Sage :
Je pratique le laisser-faire : le peuple évolue de lui-même
Je porte amour à la quiétude : il prend lui-même le droit chemin
Je n'entreprends aucune affaire : c'est de lui-même qu'il prospère
Je ne nourris aucun désir : de lui-même au Simple il revient.

五十八章

其政悶悶，其民淳淳。
其政察察，其民缺缺。
禍兮，福之所倚；
福兮，禍之所伏。
孰知其極，其無正。
正復為奇，善復為妖。
人之迷，其日固久。
是以聖人方而不割，廉而不劌，
直而不肆，光而不燿。

134

A gouverneur muet muet
Peuple tout simple simple
A gouverneur perçant perçant
Peuple finaud finaud

Le malheur porte le bonheur
Le bonheur sous-tend le malheur
Dira-t-on que vus de très haut
Marcher droit et dévier demeurent?

Le normal se fait monstrueux
Le bénéfique maléfique
C'est dans la nuit des temps que l'homme
A commencé de s'égarer

Le Sage équarrit sans blesser
Incline sans porter atteinte
Rectifie sans faire violence
Et resplendit sans aveugler.

五十九章

治人事天，莫若嗇；

夫唯嗇，是謂早服，

早服謂之重積德；

重積德，則無不克；

無不克，則莫知其極；

莫知其極，可以有國；

有國之母，可以長久。

是謂深根固柢，長生久視之道。

59

Pour gouverner les hommes et pour servir le Ciel
Rien de tel que Dépense Avare
Dépense Avare engendrera Recouvrement [1]
Recouvrement, Double Réserve de Vertu
Double Réserve de Vertu triomphera de tout obstacle
Qui triomphe de tout obstacle atteindra la Cime inconnue
Qui atteint la Cime inconnue sera le maître d'un Royaume
Et quiconque obtiendra la Mère du Royaume
Acquerra la durée.

Voilà ce que l'on nomme
La Voie enracinée profond, implantée ferme
Source de longue vie et de vision durable.

1. Ou retour précoce (au Principe); mais « Recouvrement » est
plus en harmonie avec le contexte.

六十章

治大國若烹小鮮。

以道莅天下，其鬼不神；

非其鬼不神，其神不傷人；非其神不傷人，聖人亦**不傷人**；

夫兩不相傷，故德交歸焉。

60

Régir un grand État : frire de petits poissons!
Veille sur le monde avec la Voie
Les Ombres n'auront plus pouvoir par les Esprits
Non qu'elles n'aient plus en fait pouvoir par les Esprits
Mais les Esprits eux-mêmes ne nuiront plus au peuple
Non qu'ils soient dépouillés de leur nocivité
Mais pourquoi donc le Sage nuirait-il à son peuple?

Quand peuple et gouverneur évitent de se nuire
La Vertu afflue au royaume.

六十一章

大國者下流。

天下之交，天下之牝。

牝常以靜勝牡，以靜爲下。

故大國以下小國，則取小國；

小國以下大國，則取大國。

故或下以取，或下而取。

大國不過欲兼畜人，

小國不過欲入事人。

夫兩者各得其所欲，

大者宜爲下。

61

Un grand pays est le lieu bas vers où ruissellent tous les fleuves
Le rendez-vous de toutes choses
Le Féminin de l'univers

Le Féminin conquiert dans la passivité
Conquiert en s'abaissant dans la passivité

Qu'un grand pays s'abaisse devant un plus petit
Par là même il le gagne
Mais qu'un petit pays s'abaisse devant lui
Il en sera conquis

Que veut un grand pays? Accroître ses clients
Un petit? Servir un patron
Il est clair que tous deux ont profit à s'entendre
Mais c'est au grand à faire la courbette.

六十二章

道者，萬物之奧，善人之寶，不善人之所保。

美言可以市，尊行可以加人。

人之不善，何棄之有？

故立天子，置三公，雖有拱璧以先駟馬，不如坐進此道。

古之所以貴此道者何？

不曰以求得，有罪以免邪？

故爲天下貴。

62

La Voie : cachette de toutes choses
Trésor du juste et salut du coupable
Les belles paroles vous valent du crédit
Les belles actions vous acquièrent du respect
Mais le coupable, à quoi bon le bannir

Si l'on couronne un empereur
Si l'on installe trois ministres
Laisse autrui présenter grands jades et quadriges
Toi, t'avançant sur les genoux offre la Voie

Si les Anciens prisaient la Voie, serait-ce
Qu'elle est trouvée par quiconque la cherche
Que sa Vertu rachète tout coupable ?
Oui, par là même c'est le trésor du monde.

六十三章

為無為，事無事，味無味。

大小多少，報怨以德。

圖難於其易，為大於其細。

天下難事，必作於易。

天下大事，必作於細。

是以聖人終不為大，故能成其大。

夫輕諾必寡信，多易必多難；

是以聖人猶難之，故終無難矣。

63

Agis par non-agir
Fais par non-faire
Savoure le sans-saveur
Magnifie le minime
Attribue nombre au peu
Réponds aux torts que l'on te fait par la Vertu
Apprends à vaincre dans l'aisé le malaisé
Apprends à maîtriser le grand dans le minime
Le Sage ne s'efforce point de faire grand
Il fait grand par là même
Promettre à la légère n'est pas tenir parole
Croire que tout est facile fait naître mille obstacles
Mais le Sage croyant que tout est difficile
Tout s'aplanit devant ses pas.

六十四章

其安易持，其未兆易謀。其脆易泮，其微易散。爲於未有，治之於未亂。

合抱之木，生於毫末。九層之臺，起於累土。千里之行，始於足下。爲者敗之，執者失之。是以聖人無爲，故無敗；無執，故無失。

民之從事，常於幾成而敗之。愼終如始，則無敗事。

是以聖人欲不欲，不貴難得之貨；學不學，復衆人之所過。以輔萬物之自然，而不敢爲。

146

64

Ce qui est en repos est facile à tenir
Ce qui n'a point éclos facile à prévenir
Ce qui est frêle est facile à briser
Ce qui n'est point massif facile à disperser

Agis sur les choses avant qu'elles ne viennent
Préviens le désordre par l'ordre

Cet arbre qui remplit tes bras, son principe est un germe infime
Cette tour et ses neuf étages, ils sont issus d'un petit tertre
Ce voyage de mille lieues, il a commencé par un pas

Celui qui agit détruira
Et celui qui saisit perdra
Le Sage n'agit sur rien donc il ne détruit rien
Ne saisit rien, aussi n'a rien à perdre

Le peuple en s'affairant échoue tout près du but
Demeure aussi prudent au terme qu'au début
Tu éviteras l'échec

Voilà pourquoi le Sage désire le non-désir
Méprise les choses rares
Apprend à désapprendre
Enseigne au peuple à revenir de ses excès
Aide les choses à vivre selon leur nature
Et se garde de les forcer.

古之善爲道者，非以明民，將以愚之。

民之難治，以其智多。

故以智治國，國之賊；

不以智治國，國之福。

知此兩者，亦稽式；

常知稽式，是謂玄德；

玄德深矣遠矣，與物反矣，

然後乃至大順。

65

Les Anciens qui possédaient la Voie
Ne cherchaient point à éclairer le peuple
Ils tâchaient de le rendre simple
Pourquoi le peuple est-il si dur à gouverner?
C'est par excès de savoir-faire
Qui gouverne un État avec son savoir-faire
Sera pour lui un malfaiteur
Qui le gouverne en abdiquant son savoir-faire
Sera pour lui un bienfaiteur
Connaître ces deux lois fournit règle et modèle
Les observer toujours Vertu Mystérieuse,
Vertu profonde et spacieuse
Selon qui tout chemine jusqu'à faire retour
A la Grande Harmonie.

江海所以能爲百谷王者，以其善下之，故能爲百谷王。

是以欲上民，必以言下之；

欲先民，必以身後之。

是以聖人處上，而民不重；

處前，而民不害。

是以天下樂推而不厭。

以其不爭，故天下莫能與之爭。

66

Qu'est-ce qui fait que fleuves et mers priment sur les ruisseaux
    des monts?
C'est qu'ils sont plus bas qu'eux
Voilà pourquoi fleuves et mers priment sur les ruisseaux des monts

Veux-tu t'élever au-dessus du peuple, abaisse-toi d'abord en
    paroles
Veux-tu prendre la tête du peuple, commence par passer à la queue

Lorsque le Sage est au-dessus du peuple, le peuple ne sent pas
    son poids
Lorsque le Sage dirige le peuple, le peuple ne sent pas sa main
Et nul ne se lasse de lui, aussi chacun le pousse en tête

Ne rivalisant point il n'a point de rival.

天下皆謂我道大，似不肖，

夫唯大，**故**似不肖；

若肖，久矣其細也夫！

我有三寶，持而保之；

一曰慈，二曰儉，三曰不敢為天下先。

慈，故能勇；

儉，故能廣；

不敢為天下先，故能成器長。

今舍慈且勇，舍儉且廣，舍後且先；死矣。

夫慈，以戰則勝，以守則固，天將救之，以慈衛之。

67

La Voie dit-on est grande mais ne ressemble à rien
C'est parce qu'elle est grande qu'elle ne ressemble à rien
Si elle s'était mise à ressembler à quelque chose
Il y a beau temps qu'elle serait petite.

J'ai trois trésors que je tiens ferme et conserve jalousement
Le premier est miséricorde
Le second est frugalité
Le troisième est timidité de prendre la tête du monde.

Miséricordieux je serai courageux
Frugal je puis me montrer généreux
Timide à gouverner me voilà chef suprême.

Qui prétend être courageux sans passer par miséricorde
Qui prétend être généreux sans passer par frugalité
Qui prétend être le premier sans se placer au dernier rang
Celui-là courtise la mort.

Miséricorde : agent de victoire au combat
Ferme rempart de la défense
Au miséricordieux le Ciel est secourable
Et lui fait un abri de sa miséricorde.

六十八章

善爲士者不武，善戰者不怒，

善勝敵者不與，善用人者爲之下；

是謂不爭之德，

是謂用人之力，

是謂配天古之極。

154

Le bon chef ne déploie pas même son armée
Le vrai guerrier est sans colère
C'est conquérir son adversaire
Que d'éviter de l'affronter
C'est faire bon emploi d'un homme
Que de se placer sous lui

En vérité
C'est avoir la vertu de non-rivalité
C'est avoir l'art d'utiliser les compétences
C'est être marié au plus haut Ciel antique.

六十九章

用兵有言：吾不敢爲主而爲客，不敢進寸而退尺，

是謂行無行，攘無臂，扔無敵，執無兵。

禍莫大於輕敵，

輕敵幾喪吾寶；

故抗兵相加，哀者勝矣。

69

Maxime du stratège :
Ne prends pas les devants, laisse-toi attaquer
Au lieu de progresser d'un pouce recule d'un pied

C'est là ce qu'on appelle avancer sans bouger
Céder sans retrousser ses manches
Capturer l'ennemi sans jamais l'affronter
Brandir une arme inexistante

Sous-estimer son ennemi voilà le pire
C'est déjà perdre son trésor
Et lorsque deux armées en viennent à combattre
La victoire revient au camp qui sait pâtir.

七十章

吾言甚易知，甚易行；

天下莫能知，莫能行。

言有宗，事有君。

夫唯無知，是以不我知。

知我者希，則我者貴。

是以聖人被褐懷玉。

Facile à comprendre mon dire
Facile à pratiquer
Mais nul pour le comprendre
Nul pour le pratiquer

Mon dire a son Ancêtre
Mon faire son Seigneur
Si la foule ne le sait
Comment me saurait-elle

Rares ceux qui me savent
Plus nobles qui me suivent
Rude-vêtu le Sage
Garde un jade en son sein.

七十一章

知，不知上；

不知知，病；

夫唯病病，是以不病；

聖人不病，以其病病，

是以不病。

71

Voir la connaissance comme la non-connaissance voilà le bien
Voir la non-connaissance comme la connaissance voilà le mal
L'on est guéri d'un mal que l'on tient pour un mal
Le Sage ne va pas mal c'est son mal qui va mal
Quant à lui-même il va fort bien.

七十二章

民不畏威，則大威至。

無狎其所居，無厭其所生。

夫唯不厭，是以不厭。

是以聖人自知不自見，自愛不自貴；

故去彼取此。

162

72

Quand le peuple n'a plus la crainte du pouvoir
C'est qu'un plus grand Pouvoir s'en vient.

Ne l'immisce pas à la légère dans les foyers
Et quand tu taxes n'aie pas la main trop lourde
Laisse donc de lasser le peuple
Il laissera de se lasser de toi

Le Sage se connaît mais ne parade point
Il se porte amitié sans se mettre trop haut
C'est le dedans non le dehors qu'il aime

七十三章

勇於敢則殺，

勇於不敢則活，

此兩者或利或害。

天之所惡，孰知其故？

是以聖人猶難之。

天之道，不爭而善勝，

不言而善應，

不召而自來，

繟然而善謀。

天網恢恢，疏而不失。

73

Le brave téméraire se fait tuer
Le brave circonspect reste en vie
De ces deux façons de faire
L'une profite et l'autre nuit

Des aversions du Ciel
Qui connaît le pourquoi?
Le Sage même s'y achoppe

La Voie du Ciel est celle
Qui vainc sans batailler
Qui répond sans parler
Qui vient sans qu'on l'appelle
Et qui œuvre sans se forcer

Entre ses larges mailles
Le grand filet du Ciel ne laisse rien glisser

七十四章

民不畏死，奈何以死懼之！

若使民常畏死而爲奇者，吾得執而殺之，孰敢？

常有司殺者殺，夫代司殺者殺，是謂代大匠斵；

夫代大匠斵者，希有不傷其手矣。

166

A quoi bon agiter le spectre de la mort
Aux yeux de qui ne la craint pas ? [1]
Si le peuple craignait la mort
Et que nous saisissions ceux qui violent la loi
Pour leur donner la mort
Qui fauterait encore ?

Le Grand Exécuteur [2] est toujours là pour tuer
Est-ce bien ton affaire de tuer à sa place ?
Ce serait comme tailler du bois à la place du grand
   charpentier
Mais à tailler du bois à la place du grand charpentier
Bien malin qui ne se fait mal.

1. Parce qu'un régime injuste lui rend la vie insupportable (cf.
le poème suivant). Dès lors, les châtiments sont sans effet.
2. Le Tao.

七十五章

民之饑，以其上食稅之多，是以饑。

民之難治，以其上之有為，是以難治。

民之輕死，以其求生之厚，是以輕死。

夫唯無以生為者，是賢於貴生。

75

Le peuple est affamé
C'est que les grands le taxent sans merci
Voilà ce qui l'affame

Le peuple est intraitable
C'est que les grands se mêlent de ses affaires
Par là le rendant intraitable

Il ne craint pas la mort
C'est que son gouvernant aspire à trop bien vivre
Voilà pourquoi le peuple ne craint pas la mort

Seul le Sage qui n'aspire pas à trop bien vivre
Lui rend la vie valable.

七十六章

人之生也柔弱，其死也堅强。

萬物草木之生也柔脆，其死也枯槁。

故堅强者死之徒，柔弱者生之徒。

是以兵强則不勝，木强則兵。

强大處下，柔弱處上。

76

Un vivant naît faible et souple
Un mort est dur et rigide
Ce rameau faible et gracile
Mort se flétrit, sèche
Compagnons de la mort le dur et le rigide
Compagnons de la vie le faible comme le souple
Cette puissante armée n'aura point la victoire
Et cet arbre élevé sera couché à terre
L'élévation et la force sont basses
C'est la faiblesse et c'est l'humilité qui sont sublimes.

七十七章

天之道，其猶張弓與？

高者抑之，下者舉之，

有餘者損之，不足者補之。

天之道，損有餘而補不足；

人之道，則不然，損不足以奉有餘。

孰能有餘以奉天下？唯有道者。

是以聖人爲而不恃，

功成而不處，

其不欲見賢。

77

La Voie du Ciel? Un arc tendu
Le haut ploie, le bas se redresse
L'excédent est raboté
Compensé le manque

Ainsi la Voie du Ciel enlève à l'excédent
Pour compenser le manque
Mais la voie des humains enlève à l'indigent
Pour engraisser le riche

Qui donnera au monde son excès de richesse
Sinon celui qui possède la Voie ?

Le Sage accomplit sans orgueil
Parfait sans ostentation
Et tient son mérite dans l'ombre.

七十八章

天下莫柔弱於水，

而攻堅强者莫之能勝，其無以易之。

弱之勝强，柔之勝剛，天下莫不知，莫能行。

是以聖人云：

受國之垢，是謂社稷主；

受國不祥，是爲天下王。

正言若反。

174

Rien n'est plus souple au monde et plus faible que l'eau
Mais pour entamer dur et fort rien ne la passe
Rien ne saurait prendre sa place

Que faiblesse prime force
Et faiblesse dureté
Nul sous le Ciel qui ne le sache
Nul qui le puisse pratiquer

Aussi le Sage :
Subir les souillures du royaume
C'est être le seigneur des temples de la Terre
Endurer les maux du royaume
C'est être roi de l'univers

Car le vrai a le son du faux.

七十九章

和大怨，必有餘怨，安可以爲善。

是以聖人執左契，而不責於人。

有德司契，無德司徹。

天道無親，常與善人。

176

79

Si tu apaises une grande querelle en laissant un petit grief
Tu ne saurais faire du bien

Le Sage tient en main le rôle débiteur
Sans rien exiger du prochain

Quiconque a la Vertu soulage son semblable
Qui ne l'a point le charge en vain

La Voie du Ciel étant sans préférence propre
Comble toujours l'homme de bien.

八十章

小國寡民，

使有什伯之器而不用，

使民重死而不遠徙。

雖有舟輿，無所乘之；

雖有甲兵，無所陳之；

使人復結繩而用之。

甘其食，美其服，安其居，樂其俗；

鄰國相望，鷄犬之聲相聞；

民至老死，不相往來。

C'est un petit pays sans guère d'habitants
Auraient-ils des engins pour dix ou cent personnes
Qu'ils ne s'en occuperaient point
Ils redoutent la mort et ne vont pas au loin.
Auraient-ils bateaux et voitures
Qu'ils les laisseraient hors d'usage
Auraient-ils armes et armures
Qu'ils n'en feraient point étalage
Remettant en honneur la cordelette à nœuds
Ils trouvent leurs mets savoureux,
Leurs vêtements aisés,
Leurs demeures commodes
Leurs coutumes plaisantes
De ce pays à son voisin
S'entend le cri du coq comme l'aboi du chien
Mais tous deux mourront de vieillesse
Sans avoir eu affaire ensemble.

八十一章

信言不美，美言不信。

善者不辯，辯者不善。

知者不博，博者不知。

聖人不積，既以為人，己愈有；

既以與人，己愈多。

天之道，利而不害；

聖人之道，為而不爭。

Les paroles vraies ne sont pas belles
Les belles paroles ne sont pas vraies
La bonté n'est pas éloquence
L'éloquence n'est pas bonté
La sagesse n'est pas science
La science n'est pas sagesse

Le Sage se garde d'amasser
Plus il vit pour les autres et plus il s'enrichit
Plus il dispense aux autres et plus il est comblé

La Voie du Ciel : gratifier sans nuire
La Voie du Sage : œuvrer sans batailler.

Table

IMP. HÉRISSEY A ÉVREUX
D.L. 1er TR. 1979. N° 5067 (22537)

Collection Points

Collection Points

SÉRIE POLITIQUE

dirigée par Jacques Julliard

Collection Points

SÉRIE SAGESSES

dirigée par Jean-Pie Lapierre

Collection Points

SÉRIE ÉCONOMIE

dirigée par Edmond Blanc

Collection Points

SÉRIE ACTUELS

Collection Points

SÉRIE PRATIQUE